Le terrible empereur de Chine

D0951111

L'auteur : Mary Pope Osborne a écrit plus de quarante livres pour la jeunesse récompensés par de nombreux prix. Elle vit à New York avec son mari, Will, et Bailey, un petit terrier à poils longs. Tous trois aiment retrouver le calme de la nature, dans leur chalet en Pennsylvanie.

L'illustrateur : Philippe Masson, né à Rennes en 1965, est issu d'une famille de marins bretons. Actuellement, il vit à Tours avec son amie et ses deux enfants, Lucas et Mona. Depuis 1997, il réalise les dessins de « Marion Duval » d'Yvan Pommaux pour le magazine *Astrapi*.

À Peter et Andrew Boyce.

Titre original : *Day of the Dragon King*
© Texte, 1998, Mary Pope Osborne.
Publié avec l'autorisation de Random House Children's Books,
un département de Random House, Inc., New York, New York, USA.
Tous droits réservés.
Reproduction même partielle interdite.
© 2005, Bayard Éditions Jeunesse
© 2003, Bayard Éditions Jeunesse pour la traduction française
et les illustrations.

Conception et réalisation de la maquette : Isabelle Southgate.
Colorisation de la couverture ; illustrations de l'arbre, de la cabane
et de l'échelle : Paul Siraudeau.

Loi n° 49 956 du 16 juillet 1949
sur les publications destinées à la jeunesse.
Dépôt légal : septembre 2005 – ISBN 13 : 978 2 7470 1842 5
Imprimé en Allemagne par Clausen & Bosse

La Cabane Magique

Le terrible empereur de Chine

Mary Pope Osborne

Traduit et adapté de l'américain
par Marie-Hélène Delval

Illustré par Philippe Masson

SEPTIÈME ÉDITION

BAYARD JEUNESSE

Léa

Prénom : Léa

Âge : sept ans

Domicile : près du bois de Belleville

Caractère : espiègle et curieuse

Signes particuliers : ne manque jamais une occasion d'entraîner son frère Tom dans des aventures mouvementées, sans se soucier du danger.

T o m

Prénom : Tom

Âge : neuf ans

Domicile : près du bois de Belleville

Caractère : studieux et sérieux

Signes particuliers : aime beaucoup
les livres, qui l'aident à se sortir
de situations périlleuses.

★

Les sept premiers voyages de Tom et Léa

Tom et Léa ont découvert dans le bois de Belleville, perchée en haut d'un chêne, une cabane pleine de livres. C'est une

cabane magique !

Elle appartient à la fée Morgane, une magicienne et une célèbre bibliothécaire qui voyage à travers le temps et l'espace pour rassembler des livres.

Nos deux jeunes héros ont déjà vécu des **aventures extraordinaires !** Il leur suffit d'ouvrir un livre, de poser le doigt sur une image en souhaitant se trouver à l'endroit représenté, et ils y sont aussitôt transportés !

Au cours de leurs trois dernières aventures, Tom et Léa ont dû affronter de multiples **dangers** pour trouver trois objets et délivrer la fée Morgane, à qui Merlin avait jeté un mauvais sort !

Souviens-toi...

Les enfants ont failli se faire dévorer par un crocodile sur le fleuve Amazone !

Vêtus de drôles de combinaisons, ils ont rencontré l'homme de la Lune.

Tom et Léa sont montés sur le dos d'un gigantesque mammouth.

Nouvelle mission :
rapporter de précieux livres !

La fée Morgane confie à Tom et Léa une importante mission : récupérer, pour sa bibliothèque, **quatre livres** qui risquent de disparaître à jamais. Pour cela, nos deux héros doivent remonter le temps.

Seront-ils **assez malins et courageux** ?
Arriveront-ils à sauver ces livres pour la fée
Morgane avant qu'ils ne soient détruits ?

 Lis vite les quatre nouveaux
« Cabane Magique » !

★ N° 8 ★
Panique à Pompéi

★ N° 9 ★
Le terrible empereur de Chine

★ N° 10 ★
L'attaque des Vikings

★ N° 11 ★
Course de chars à Olympie

Prêt à suivre Tom et Léa
dans leurs dangereuses aventures ?

Bon voyage !

Résumé du tome 8

★ ★ ★

Tom et Léa sont à Pompéi. Une devineresse les avertit que la fin est proche et leur montre la bibliothèque qu'ils cherchent. Les deux enfants y découvrent le livre, un parchemin en forme de rouleau, que Morgane leur a demandé de récupérer. Soudain, le volcan le Vésuve entre en éruption. C'est la panique dans les rues ! Tom et Léa sont sauvés par Hercule, le héros du livre qu'ils doivent rapporter à la fée. Au retour, pour les féliciter de leur courage, Morgane les nomme « Maîtres Bibliothécaires ».

Une nouvelle mission

– Tu es prêt ? demande Léa en surgissant dans la chambre de son frère. Morgane a dit que, cette fois, on allait partir en Chine, tu te souviens ?

– Évidemment !

– N'oublie surtout pas ta carte de Maître Bibliothécaire !

– Ça non ! dit Tom.

Il ouvre son tiroir et en sort une mince plaquette de bois ornée de deux grandes lettres d'or : MB. C'est la carte que leur a remise la fée Morgane au retour de leur

dangereuse mission à Pompéi.

Tom la range dans son sac à dos, ainsi que son carnet et son stylo. Puis il dévale les escaliers derrière sa sœur.

– À tout à l'heure, maman ! crie Léa en passant devant la cuisine.

– Où allez-vous ? demande leur mère.

– En Chine !

– Bon voyage ! Amusez-vous bien !

« Si elle savait… ! pense Tom. Dans quelle folle aventure allons-nous encore nous embarquer ? »

Les deux enfants prennent le sentier menant au bois de Belleville. Le soleil brille, les oiseaux pépient, les grillons grésillent.

– Quelle belle journée ! dit Léa. Tu crois que, là-bas, c'est l'été aussi ?

– Je n'en sais rien. Ce qui est sûr, c'est

qu'on devra affronter pas mal de dangers.

– Oui, mais, comme d'habitude, on rencontrera des gens ou de gentils animaux pour nous aider ! Ça sera génial, tu verras !

Tom sourit : Léa a raison, une belle aventure les attend ! Il a hâte de partir, tout à coup. Il traverse les fourrés au pas de course, sa sœur sur les talons, et s'arrête au pied du grand chêne.

– Bonjour, les enfants ! leur lance une voix joyeuse, qu'ils reconnaissent aussitôt.

– Bonjour, Morgane !

La fée est penchée à la fenêtre de la cabane magique, tout en haut de l'arbre :

– Toujours partants pour une nouvelle mission ?

– Ouiiiiii !

Ils empoignent l'échelle de corde et se dépêchent de monter.

– C'est vrai, on va en Chine ? s'assure Léa en émergeant de la trappe.

– En effet ! Vous allez visiter la Chine ancienne. Voici le titre de l'histoire que vous devrez retrouver.

Morgane tend aux enfants une longue planchette couverte de signes bizarres.

– Les Chinois ont inventé le papier il y a deux mille ans. Mais je vais vous envoyer à

une époque où ils écrivaient encore sur de fines lamelles de bambou, comme celle-ci.

Léa s'étonne :

– C'est du chinois, ça ?

– Eh oui ! Cet art d'écrire s'appelle la calligraphie. Les caractères symbolisent des sons et des mots. Ceux-ci forment le titre d'une très vieille légende. Votre mission sera de retrouver la plus ancienne version de cette légende avant que la Bibliothèque impériale soit détruite.

– Partons vite, alors ! s'écrie Léa.

– Une minute ! fait Tom. On n'emporte pas un livre pour nous aider, cette fois ?

– Où ai-je la tête ? Bien sûr que si ! le rassure Morgane en sortant un album des plis de sa robe. Sur la couverture, on peut lire : *Au temps du premier empereur de Chine.* La fée tend l'ouvrage au garçon :

– Ceci vous aidera dans votre recherche. Mais, aux heures les plus sombres, rappelez-vous que seule la vieille légende pourra vous sauver !

– Oui, oui, dit Léa. Comme celle d'Hercule quand on était à Pompéi.

– Seulement, murmure Tom, un peu inquiet, il faudra d'abord la trouver, cette légende…

Il prend la lamelle de bambou que la fée lui tend et la range dans son sac. Puis il remet ses lunettes en place, pose son doigt sur la couverture du livre, ferme les yeux et prononce la phrase habituelle :

– Nous souhaitons être transportés là !

Aussitôt, le vent se met à souffler, la cabane à tourner. Le vent hurle.

La cabane tourne, tourne ; elle tourbillonne comme une toupie folle. Puis tout s'arrête. Plus un mouvement, plus un bruit.

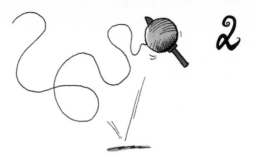

Un pays si paisible

– Qu'ils sont confortables, ces vêtements !
s'extasie Léa. Et regarde, Tom, j'ai même
une petite poche pour y ranger ma carte
de Maître Bibliothécaire !

Tom rouvre les yeux. Cette fois encore,
Morgane les a habillés par magie. Au lieu
d'un jean, d'un T-shirt et d'une paire de
baskets, ils portent maintenant de larges
pantalons, une tunique flottante, des chaussures et un chapeau de paille tressée. Le sac
à dos de Tom s'est transformé en besace
de grosse toile. Mais il retrouve à l'intérieur

le livre, son carnet et son stylo. Et, bien sûr, sa carte de Maître Bibliothécaire.

– Quelle chance ! s'écrie Léa, penchée à la fenêtre de la cabane. Il fait beau !

Tom la rejoint et découvre à son tour le paysage. La cabane magique est posée au

sommet d'un arbre solitaire, au milieu d'un champ ensoleillé. Un jeune homme laboure en conduisant un attelage de bœufs.

Les enfants aperçoivent une ferme au bout du champ et, au loin, les murs d'une cité.

– La vie paraît agréable, ici, dit Léa.

– Ouais…, fait Tom. Mais, rappelle-toi : la vie à Pompéi paraissait bien agréable aussi, avant l'éruption du Vésuve ! Voyons plutôt ce que dit le livre !

Il le sort de son sac, l'ouvre et lit à haute voix :

> **Qin Shi Huangdi, le premier empereur, régnait sur la Chine deux cents ans avant Jésus Christ. Son emblème était le dragon, symbole du courage et de la puissance. C'est pourquoi on l'appelait aussi le Roi Dragon.**

– Le Roi Dragon, répète Tom, songeur. C'est un nom qui fait un peu peur…

– Moi, ce roi, je le trouve drôlement élégant ! commente Léa.

L'image montre un homme vêtu d'une robe flottante à larges manches, coiffé d'un curieux chapeau orné de perles.

Tom prend son carnet et commence à noter :

Le premier empereur
de Chine, le Roi Dragon...

– Je parie que le livre qu'on recherche est dans la bibliothèque du Roi Dragon, dit Léa. Et je parie que son palais est là-bas, dans la ville !

– Sûrement, approuve Tom.

Désignant la route poussiéreuse qui serpente à travers champs, il décide :

– Ne perdons pas de temps !

Léa ne l'a pas attendu. Elle est passée par la trappe, et descend le long de l'échelle de corde.

Tom jette la besace sur son épaule et se dépêche de suivre sa sœur. Les enfants se dirigent vers la route.

– On dirait que le laboureur nous appelle !
remarque soudain Léa.

En effet, le jeune homme court vers
eux en agitant les bras et en leur
criant quelque chose.

– Qu'est-ce qu'il nous veut ?
grommelle Tom. Je ne parle
pas chinois, moi !

– Mais si ! Tu oublies la magie
de Morgane ! Rappelle-toi :
quand on était à Pompéi,
on discutait avec les gens.
Pourtant, on ne connaît pas
le latin.

Le bouvier les a rejoints. Il a
une bonne figure ronde et sym-
pathique. Il dit :

– Bonjour ! Je m'appelle Li Si. Pouvez-
vous me rendre un service ?

– Bien sûr ! répond spontanément Léa.

– S'il vous plaît, dites à la tisserande, à la

ferme, de me
retrouver ici à midi !
– On le fera !
– C'est très gentil à vous, les remercie
le jeune Chinois avec un grand sourire, en
s'inclinant profondément.

Il s'éloigne déjà, mais Tom l'interpelle :

– Excusez-moi ! Savez-vous où se trouve la Bibliothèque impériale ?

Le bouvier se retourne, son sourire s'efface, remplacé par une expression d'effroi.

– Pourquoi me demandes-tu ça ? souffle-t-il.

– Oh, je… Juste pour savoir…

– Prenez garde au Roi Dragon, murmure alors le jeune homme. Surtout, prenez garde ! Il n'aime pas les étrangers !

Et il repart en courant vers ses bœufs.

– Bon, soupire Tom, je m'en doutais.

– De quoi ? s'étonne Léa.

– Que ce serait encore une mission pleine de dangers !

Un secret
bien gardé

Tom et Léa reprennent leur marche à travers champs.

– On s'arrête d'abord à la ferme, rappelle Léa. Il faut porter le message du bouvier à la tisserande.

– D'accord, mais ne nous attardons pas. J'ai hâte de trouver la Bibliothèque impériale ! Et garde la tête baissée, sinon, les gens vont voir qu'on n'est pas chinois !

– Qu'est-ce que ça peut faire ? Le bouvier, lui…

– Baisse la tête, je te dis ! insiste Tom. Le

25

roi n'est sans doute pas le seul, ici, à se méfier des étrangers !

Le visage caché par leur chapeau, ils croisent un char à bœufs chargé de foin, des femmes poussant des brouettes emplies de légumes. Ils franchissent un portail, entrent dans une cour.

– La voilà ! s'écrie Léa en désignant une jeune fille assise devant un métier à tisser à l'ombre d'un porche.

Tom s'assure que personne ne les observe, mais sa sœur est déjà auprès de la tisserande. Il s'approche à son tour, et il entend la jeune fille s'exclamer, avec un sourire heureux :

– Un message du bouvier pour moi ?

– Oui ! Il vous attend au champ à midi !

– C'est gentil d'être venus me prévenir. Tenez ! Prenez ceci en remerciement !

La tisserande plonge la main dans un panier et tend à Léa une bobine de fil.

– Que c'est doux ! s'émerveille la petite fille. Touche, Tom !

– Comment fabrique-t-on ce fil ? s'intéresse celui-ci.

– C'est grâce aux vers à soie, les chenilles d'un papillon. Ces larves tissent un cocon de fins filaments très solides.

– Des vers ? Il faut que je note ça tout de suite !

Il fouille dans son sac pour en tirer son carnet. Mais la jeune fille retient son bras et supplie, l'air épouvanté :

– Oh non ! Ne faites

pas ça ! Vous êtes des étrangers, n'est-ce pas ? La fabrication de la soie est le plus précieux secret de toute la Chine. Celui qui le déroberait serait aussitôt arrêté et condamné à mort par le Roi Dragon, notre empereur !

Elle baisse la voix et ajoute :

– Partez, maintenant ! On vous a vus !

Tom jette un coup d'œil par-dessus son épaule et aperçoit un homme qui les désigne du doigt.

– Sauvons-nous ! souffle-t-il.

– Au revoir ! dit Léa à la tisserande. Et merci pour la bobine de soie !

– Bonne chance ! leur lance la jeune

Chinoise en se remettant à son ouvrage.

Les deux enfants quittent la cour de la ferme en courant. À peine ont-ils franchi le portail qu'une rude voix d'homme rugit dans leur dos :

– Arrêtez-les !

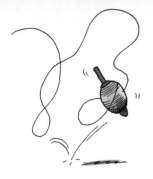

La grande muraille

Tom et Léa franchissent le portail, affolés. Derrière eux, on crie, on s'interpelle. Un bruit de galopade se fait entendre : les gens de la ferme poursuivent les fuyards.

Devant le portail, des bœufs attelés à une charrette chargée de gros sacs attendent paisiblement. Les enfants regardent autour d'eux : personne en vue !

Ils n'hésitent pas. Ils grimpent à l'arrière de la charrette et se dissimulent entre les sacs de grain. Il était temps ! Les cris se rapprochent. Tom n'ose plus respirer.

Soudain,
la charrette s'ébranle.
La voix du conducteur encourage
les bœufs. Les deux enfants restent encore
cachés un moment, le cœur battant. Puis,
prudemment, ils sortent la tête d'entre
les sacs. La charrette suit la route. Elle
roule vers la cité !
Le conducteur ne s'est pas aperçu qu'il
transportait des passagers clandestins.

Tom et Léa plongent de nouveau derrière les sacs.

– C'est super ! chuchote Léa. Dès qu'on a franchi les murs de la ville, on descend discrètement, d'accord ?

– D'accord ! approuve Tom à voix basse. Après, on va à la Bibliothèque impériale, on trouve le livre, et on retourne en vitesse à la cabane !

– Et on n'a plus qu'à rentrer chez nous ! répond sa sœur sur le même ton.

– Chut !

La charrette s'est arrêtée. Les enfants n'osent plus bouger un cil. Ils entendent une rumeur, un bruit de piétinement. Ça dure, ça dure… Que se passe-t-il ?

Au bout d'un moment, Léa n'y tient plus. Elle risque un œil, et se rencogne vite dans sa cachette. Elle explique à voix basse :

– C'est une longue colonne d'hommes qui traversent la route. Ils portent des pelles et des pioches, et ils sont encadrés par des gardes !

– Qu'est-ce que ça signifie ? marmonne Tom. En se tortillant, il réussit à sortir de la besace le livre de Morgane. Il le feuillette et finit par trouver une image représentant une file d'ouvriers. Il lit :

La Grande Muraille a été construite
pour protéger l'empire chinois
des envahisseurs. Elle serpente
sur près de 6 700 kilomètres.
Sa construction a duré vingt siècles !
Des centaines de milliers d'ouvriers
étaient forcés d'y travailler.

– Incroyable ! souffle Tom. Ces hommes sont en train de construire la Grande Muraille de Chine ! J'en ai entendu parler : c'est le plus long monument du monde. Il paraît qu'on peut le voir de la Lune.

À cet instant, une grosse main s'abat sur son épaule. Le conducteur les a découverts !

– Que faites-vous là, garnements ? crie-t-il avec colère.

– Nous… Eh bien… je…

Tom ne sait vraiment pas quoi répondre !

Le regard de l'homme tombe alors sur le livre, ouvert à la page de la Grande Muraille. Il en reste bouche bée.

Lentement, il approche son doigt, touche craintivement le papier.

Puis il dévisage Tom en roulant des yeux effarés :

– Qu'est-ce que c'est que ça ?

5

Un faux fermier

– C'est un livre de notre pays, explique Tom. Vous, vous tracez des caractères sur du bambou. Chez nous, on écrit sur du papier. En réalité, c'est vous qui avez inventé le papier. Enfin… c'est vous qui allez l'inventer plus tard. Je veux dire… bientôt !
L'homme continue de le regarder d'un air stupéfait.

– C'est une invention géniale ! renchérit Léa. Avec le papier, on fait des livres comme celui-ci. Et on apprend plein de choses, dans les livres !

L'homme secoue la tête et ses yeux bridés se remplissent de larmes.

– Ça ne va pas ? s'inquiète la petite fille.

– J'aime lire, et j'aime les livres, dit l'homme.

– Moi aussi ! s'écrie Tom.

– Vous ne comprenez pas ! Je suis habillé en fermier, mais en vérité, je suis un érudit.

– C'est quoi, un érudit ? s'informe Léa.

– Nous, les érudits, répond l'homme en souriant, nous lisons, nous écrivons, nous

réunissons de grands savoirs. Pendant de longues années, nous avons été les citoyens les plus honorés de Chine.

Son sourire s'efface, et il soupire :

– Maintenant, nous sommes en danger, obligés de nous cacher.

– Pourquoi ? demande Tom.

– Parce que les livres donnent la connaissance. Et quand on a la connaissance, on est libre de choisir, de décider de sa vie. Le Roi Dragon a peur de cette liberté, et du pouvoir qu'elle nous donne. Il nous interdit d'apprendre et de réfléchir. Un jour ou l'autre, il va ordonner que tous les livres soient brûlés.

– Oh !

L'érudit hoche tristement la tête :

– Les livres de la Bibliothèque impériale vont disparaître en fumée.

– C'est pas vrai ! souffle Léa.

– Écoutez, nous sommes chargés d'une

mission secrète ! confie Tom. Nous devons absolument entrer dans cette bibliothèque.

– Mais… qui êtes-vous ? s'étonne l'érudit.

Léa tire sa carte de sa poche, Tom repêche la sienne au fond de son sac. Ils brandissent fièrement les deux plaquettes où scintillent les grandes lettres dorées MB.

– Des Maîtres Bibliothécaires ! s'exclame le faux fermier.

Il s'incline devant les enfants avec respect :

– Jamais je n'avais rencontré de si jeunes et si honorables personnes !

– Euh, merci…, font-ils, un peu embarrassés. Et ils s'inclinent à leur tour.

– En quoi consiste votre mission ? reprend le savant. Je suis peut-être en mesure de vous aider.

Tom lui montre la lamelle de bambou que leur a confiée Morgane :

– Nous sommes envoyés pour sauver cette histoire.

– Je la connais. Elle a été écrite il y a peu de temps. Je vous conduirai à la bibliothèque. Mais je vous préviens, ce sera très dangereux !

– Nous le savons, dit Léa.

– Alors, je vous emmène ! Je suis si heureux de me rendre de nouveau utile !

41

Les enfants montent sur le siège, à côté du conducteur. Les derniers ouvriers sont passés, la route est libre. Les bœufs se remettent en marche.

– D'où venez-vous ? demande l'érudit.

– Nous habitons en France, près du bois de Belleville, répond Léa.

– Je n'ai jamais entendu parler de cet endroit. Y a-t-il une bibliothèque, là-bas ?

– Bien sûr ! dit Tom. Il y a des centaines de bibliothèques, en France.

– Et des millions de livres ! renchérit Léa. Et personne ne veut les détruire.

– Et tous les enfants vont à l'école pour apprendre à lire, ajoute Tom.

– Quel pays merveilleux ! soupire l'érudit. Ce doit être un paradis !

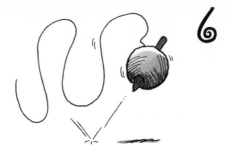

6

Le Roi Dragon

La charrette traverse un pont de bois qui enjambe un large fossé. Elle roule entre des gardes, postés de chaque côté d'un gigantesque portail.

– Cette porte est-elle toujours ouverte ? demande Tom.

– Oh non ! répond l'érudit. Chaque soir, au coucher du soleil, les tambours résonnent. Alors, le portail est verrouillé.

– Donc, conclut Léa, si on n'est pas sorti avant, on reste enfermé dans la cité toute la nuit.

– Tu as tout compris, se moque gentiment le savant.

La charrette entre dans la ville en rebondissant sur les pavés. De chaque côté de la rue, de pauvres maisons aux murs de terre séchée et aux toits de chaume se pressent les unes contre les autres. Les gens cuisinent dehors, lavent leurs vêtements dans des cuves de bois.

Puis l'attelage pénètre dans un quartier plus chic. Les habitations y sont plus grandes, plus hautes. Leurs murs de bois sont peints de couleurs vives, les coins de leurs toits de tuiles sont ornés d'animaux bizarres.

– Drôles de sculptures ! remarque Tom.

– Elles protègent les habitants des mauvais esprits, explique l'érudit.

– Ah oui ?

Léa regarde autour d'elle, pas très rassurée. Ils traversent une place où se tient un

marché. On y vend du thé, du poisson, des volailles, des fourrures, des vêtements de soie, des bijoux de jade. Les enfants remarquent une file de clients devant une échoppe où sont entassées de minuscules cages de bois.

– Qu'est-ce qu'ils achètent ? s'étonne Léa.

– Des grillons. Ce sont de charmants petits animaux domestiques. On les nourrit de feuilles de thé, et ils remplissent la maison de leur délicate chanson.

Bientôt, les hauts murs du palais impérial se dressent devant eux. Le faux fermier arrête ses bœufs devant la porte et annonce aux gardes :

– Livraison de grain pour le palais !

Les gardes s'écartent pour laisser passer l'attelage.

À l'intérieur, les enfants découvrent un magnifique jardin orné de bassins et d'arbres en fleur.

– Que c'est beau ! s'émerveille Léa.
Au même instant, l'érudit lâche :
– Regardez !

Il montre du doigt une colonne de fumée
noire qui s'élève dans la cour du palais :
– Un feu !
– On brûle les livres ! s'effraie Tom.

– Dépêchons-nous ! crie Léa.

Leur compagnon secoue les rênes, et les bœufs prennent le trot. La charrette cahote sur les dalles qui pavent l'allée.

Quand l'attelage arrive dans la cour, l'agitation y est à son comble. Des soldats attisent un énorme brasier, d'autres descendent les larges escaliers du palais, les bras chargés de rouleaux de bambou.

– Ce qu'ils transportent, ce sont des livres ?
s'inquiète Tom.

– Oui ! Ce sont des lamelles de bambou
liées les unes aux autres. Chaque rouleau
est un livre.

– Regardez ! s'exclame alors Léa.

Un homme imposant vient d'apparaître
en haut des escaliers. Sa robe richement
brodée flotte autour de lui. Tom le recon-
naît sans l'avoir jamais vu.

– Le Roi Dragon ! souffle-t-il.

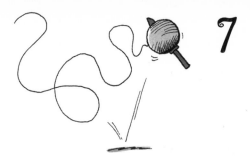

Une voix terrible

Du haut des marches, le Roi Dragon contemple le bûcher avec satisfaction. D'où ils se tiennent, les enfants en sentent déjà la chaleur. Les flammes ronflent, une fumée noire monte droit vers le ciel. Les rouleaux de bambou sont entassés sur le sol, prêts à être brûlés.

L'érudit arrête les bœufs. Tous trois sautent de la charrette et viennent se mêler à la foule.

Sur un ordre du Roi Dragon, les soldats commencent à jeter les rouleaux dans le feu. Les lamelles de bambou s'embrasent aussitôt en crépitant.

– Arrêtez ! crie Léa.

Son frère la retient par le bras au moment où elle va s'élancer :

– Tais-toi ! Tu vas nous faire repérer.

Mais la petite fille se débat :

– Laisse-moi ! Il faut qu'on sauve l'histoire pour Morgane !

Heureusement, sa voix se perd dans les cris des soldats et le crépitement du brasier.

– Le livre que vous cherchez ! s'exclame alors l'érudit en pointant le doigt. Je le vois ! C'est celui qui est tombé, là !

– J'y vais ! décide Léa.

– Non ! proteste Tom. Tu es folle !

Trop tard ! Elle s'est déjà précipitée vers le tas de rouleaux. Elle attrape celui que l'érudit a désigné, rejoint ses compagnons au pas de course et souffle :

– Vite, Tom ! Mets-le dans ton sac !

Tom se dépêche d'obéir, tout en jetant un regard inquiet autour de lui. Alors il étouffe une exclamation : le Roi Dragon les a vus !

– Saisissez-les ! ordonne l'effrayant personnage d'une voix terrible.

– Fuyez ! leur chuchote l'érudit. Vous voyez ce haut monticule de terre qui est là-bas ? C'est un tumulus, le tombeau que l'empereur se fait bâtir. Les soldats ne vous y suivront pas, ils craignent les esprits des morts qui y rôdent.

Les enfants se ruent aussitôt dans cette direction.

– Merci ! lance Tom à l'érudit.

– Bonne chance ! ajoute Léa.

Les deux enfants galopent sur le chemin conduisant au tombeau. Ils franchissent un muret de brique. Soudain, une volée de flèches siffle autour d'eux. Des archers les visent depuis les tours du palais !

– Vite ! Entrons là ! halète Tom en désignant une ouverture sombre dans le flanc du tumulus.

Les enfants se jettent à l'intérieur. Les voilà dans un long corridor, éclairé par des lampes à huile.

– Quel silence ! murmure Léa.

Elle avance de quelques pas, puis s'écrie :

– Hé, regarde ! Des marches ! On descend ?

– Reste là ! ordonne Tom. Ne va surtout pas plus loin !

– Pourquoi ?

– Parce que ! On ne sait pas où ça mène. On est dans un tombeau, rappelle-toi ! Moi, ça me fiche la trouille.

– Juste un coup d'œil ! Il y a peut-être une autre sortie ?

Tom prend une grande inspiration :

– Bon, d'accord. Mais soyons prudents !

Léa s'engage dans l'escalier. Tom la suit. La lumière des lampes à huile fait danser les ombres sur les parois. Les marches s'enfoncent profondément sous terre.

Enfin, ils arrivent tout en bas. Tom cligne des yeux. Il n'y a plus que quelques lampes, et il n'y voit pas grand-chose.

Quand ses yeux se sont accoutumés à la pénombre, il retient un cri d'effroi : une troupe innombrable de guerriers revêtus de cuirasses dévisage les intrus d'un air féroce !

Sept mille soldats !

Tom et Léa sont pétrifiés. En face d'eux, les soldats restent figés, muets. Soudain, la voix de Léa résonne dans le silence :

– Ils sont faux !

– Faux ? chuchote Tom.

– Pas vrai, quoi !

– Ils semblent pourtant si… vivants !

Léa avance résolument. Tom retient son souffle.

La petite fille pose son doigt sur le nez de l'un des guerriers et s'écrie triomphalement :

– Ce sont des statues !

– Ça alors ! lâche Tom.

Il s'avance à son tour, touche un visage peint. Il est dur et froid comme de la pierre.

– C'est… c'est incroyable !

– On dirait un musée !

Elle se met à arpenter les étroites allées entre les rangées de soldats, admirant le dessin des cuirasses, l'expression des visages.

– Ne t'éloigne pas, Léa ! dit Tom. Cette salle est immense, et il y a peut-être des pièges. Je voudrais bien savoir où on est exactement.

Il pose son sac, en tire le livre sur la Chine ancienne, le feuillette jusqu'à ce qu'il trouve une image de l'armée immobile. Il lit à haute voix :

Le Roi Dragon voulait rester,
même après sa mort, le plus grand
empereur de toute la Chine.
Il se fit bâtir un tombeau
souterrain aussi grand qu'une ville.
Il y fit disposer sept mille soldats
de terre cuite, pour l'escorter
au royaume des morts.

– Ça me rappelle la pyramide qu'on a visitée en Égypte. La reine avait été enterrée, elle aussi, avec des tas d'objets, tu te souviens, Léa ? Léa !

Tom regarde autour de lui. Sa sœur a disparu !

– Léa !

– Je suis là ! répond une voix lointaine.

– Reviens ici tout de suite !

– Non, rejoins-moi plutôt ! C'est extraordinaire ! Ces soldats ont tous des visages différents !

Tom range le livre dans son sac et s'empresse de rattraper sa sœur.

– Regarde ! insiste celle-ci. Mais regarde !

Dans la lumière dansante des lampes à huile, les enfants passent de rangée en rangée. Il y a des archers, genou à terre, des cavaliers sur leurs chevaux, des fantassins brandissant des épées ou des lances

de bronze.

Il y a même
des chariots de bois
tirés par des chevaux
d'argile grandeur nature !

– Il faut que je prenne des notes, décide
Tom.

Il sort du sac son carnet et son stylo.
Accroupi sur le sol de brique, il commence à écrire, le nez sur le papier pour
mieux voir :

*Pas deux soldats
qui se ressemblent.
Même les chevaux...*

– Tom, fait alors Léa, on a un problème…

– Hein ?

– On est perdus !

– Comment ça, perdus ? On sait très bien où…

– Ah oui ? Tu peux m'indiquer la sortie, toi ?

Tom regarde autour de lui. Il ne voit que des rangées de soldats immobiles, devant, derrière, sur les côtés. Par où sont-ils arrivés ? Il n'en a aucune idée. Les voilà égarés au fond d'une tombe, parmi des milliers de guerriers aussi rigides et silencieux que des morts !

– Je vais consulter le livre, dit-il, s'efforçant de ne pas paniquer.

– Pas la peine ! Souviens-toi de ce qu'a dit

Morgane : le livre peut nous aider dans notre recherche. Mais, aux heures les plus sombres, seule l'ancienne légende pourra nous sauver.

– Aux heures les plus sombres… ?

« C'est vrai qu'il fait drôle-ment sombre, ici », pense Tom.

Il fouille dans son sac, en sort la lamelle de bambou et murmure :

– Sauve-nous, s'il te plaît !

Rien ne se passe. Il fait même de plus en plus noir.

Les personnages d'argile semblent étrangement menaçants.

– Qu'est-ce qu'on va… devenir… ? bégaie Tom, la gorge nouée.

– Regarde ! crie alors Léa.

– Quoi ?

– La bobine ! La bobine de soie ! Elle est tombée de ton sac, et…

– Et quoi ?

– Elle roule toute seule !

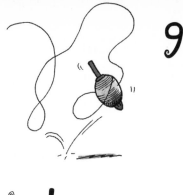

9

Par ici
la sortie !

La bobine roule, roule, laissant serpenter derrière elle un mince fil argenté.

– On dirait qu'elle nous montre le chemin ! s'écrie Léa.

Et elle s'élance à la poursuite du bobineau qui se dévide. Tom se dépêche de ranger ses affaires dans son sac pour courir derrière sa sœur.

Le fil de soie passe par ici, par là…

– C'est impossible ! grommelle Tom. C'est… scientifiquement impossible !

– C'est pas scientifique. C'est magique !

9

Tom a du mal à y croire. Il se laisse tout de même conduire par le fil de soie.

Soudain, la bobine s'immobilise : le fil est entièrement déroulé. Tom et Léa s'arrêtent aussi et reprennent leur souffle. Puis Tom

demande :

– Bon, qu'est-ce qu'on fait, maintenant ?

– Je suppose qu'il nous faut remonter par cet escalier.

En scrutant l'obscurité, Tom entrevoit des marches, à quelques pas devant lui.

Il décide :

– On monte !

Arrivés en haut, les enfants se retrouvent dans le corridor éclairé par les lampes à huile. Ils marchent, marchent…

– Je ne me souvenais pas que ce couloir était si long, dit Tom.

– Moi non plus. Ce n'était peut-être pas le même escalier…

– On continue ?

Léa hausse les épaules :

– On n'a pas le choix.

Soudain, le couloir fait un coude. Ils s'avancent prudemment et ils arrivent devant une porte.

– Sauvés ! s'exclame Léa.

– Minute ! On nous guette peut-être dehors. Mieux vaut faire attention…

Ils poussent la porte avec précaution, jettent un coup d'œil au-dehors. Personne. Alors, ils sortent dans la lumière grise du crépuscule. Ils reconnaissent la place du marché qu'ils ont traversée le matin. Les

boutiques sont fermées, à cette heure.
Mais ils sont à l'extérieur du palais !

– Ouf ! soupire Léa.

Au même instant, les tambours résonnent.

– Aïe ! crie Tom. Les portes de la cité vont
se refermer !

Ils dévalent la rue au galop,
longeant les riches demeures,
puis les pauvres maisons. Ils
courent si vite qu'ils perdent
leurs chaussures de paille.
Tant pis, ils continuent
pieds nus.

Ils atteignent le portail
juste avant que les deux
énormes battants soient
refermés. Ils se faufilent
par l'ouverture.

Bang ! La porte est
close. On ne peut plus ni
entrer dans la ville ni en

sortir. Mais Tom et Léa s'en fichent : eux, ils sont sortis !

Ils franchissent le pont, remontent la route sans cesser de courir, dépassent la ferme, traversent le champ.

Ils arrivent au pied de l'arbre où les attend la cabane magique. L'un derrière l'autre, ils escaladent l'échelle de corde. Quand ils émergent de la trappe, ils s'effondrent sur le plancher, hors d'haleine.

Tom cherche du regard le livre sur le bois de Belleville, celui qui leur permet de retourner chez eux. Léa se relève et va regarder par la fenêtre, pour dire au revoir à ces champs, à cette route, à cette ville de la Chine ancienne. Alors, elle s'écrie :

– Hé ! Ils sont là !

– Qui ? s'affole déjà Tom.

Il rejoint sa sœur en hâte.

Au pied de l'arbre, deux ombres se tiennent par la taille.

– La tisserande et le bouvier ! murmure Léa.

Les jeunes gens leur font de grands signes.

– Au revoir ! Au revoir ! crient les deux enfants.

Puis Tom pose son doigt sur l'image de leur bois et dit :

– Nous souhaitons revenir ici, chez nous !

Il jette un dernier coup d'œil à l'extérieur.

Dans le champ envahi par la nuit, les silhouettes des jeunes Chinois scintillent soudain comme des étoiles.

Mais, déjà, la cabane magique s'est mise à tourner. Elle tourne plus vite, de plus en plus vite ; le vent hurle. Puis tout se calme, tout se tait.

10

La chanson des grillons

Tom ouvre les yeux. Il porte de nouveau son jean et ses baskets. Sa sœur aussi. Ils sont bien revenus à leur époque.

– Ah ! Voilà mes Maîtres Bibliothécaires préférés ! les accueille une voix joyeuse.

– Bonjour, Morgane ! lance Léa.

– On vous rapporte votre livre ! ajoute Tom.

– Bravo ! les félicite la fée. Vous êtes de merveilleux bibliothécaires.

Tom sort du sac, redevenu son sac à dos habituel, le rouleau de bambou et le tend à Morgane. Elle le déroule délicatement en disant :

– Je suis bien heureuse que vous ayez pu sauver ce célèbre conte chinois. Il s'intitule « La Tisserande et le Bouvier ».

– La tisserande et… On les a rencontrés !
Hein, Tom ?

– Vraiment ? dit la fée.

– Mais oui ! confirme Tom. C'est même la
bobine de la tisserande qui nous a aidés
à sortir du tombeau ! Je voudrais bien
connaître leur histoire !

– La Tisserande, dit la fée, c'est l'étoile
Véga. Elle tisse toute l'année, sagement
assise sur une rive du fleuve céleste, la
Voie Lactée. De l'autre côté se trouve la
constellation du Bouvier. Attelé au chariot
de la Grande Ourse, il laboure son champ.

– Alors, ils ne sont jamais ensemble ?
s'étonne Léa.

– Si ! Une fois par an, l'un d'eux traverse
le fleuve, et ils se retrouvent sur la même
rive pour célébrer leurs noces célestes.

– C'est joli ! soupire Léa.

– Et, cette année, ajoute la fée, peut-être
ont-ils fait un petit détour par la Terre,

juste pour vous rencontrer ? Maintenant, rentrez vite chez vous ! La prochaine fois, je vous enverrai en Irlande, au temps des Vikings.

– Les Vikings ? s'exclame Tom. Génial !

Les enfants saluent la fée Morgane et redescendent par l'échelle.

Ils suivent le sentier menant à l'orée du bois. Soudain, Léa murmure :

– Tom ! Écoute les grillons, comme ils chantent ! Ils se racontent peut-être une belle histoire du temps passé.

Tom sourit. Il tend l'oreille, et il lui semble

que les petites bêtes grésillent toutes ensemble la même petite chanson : « Roi Dragon, Roi Dragon, Roi Dragon… »

C'est possible, après tout, puisque les ancêtres de ces grillons vivaient au temps du premier empereur de Chine, le terrible Roi Dragon !

À suivre...

Découvre vite la suite
des aventures de Tom et Léa dans
L'attaque des Vikings.

La cabane magique

propulse
Tom et Léa

au temps
des Vikings

★ 2 ★
Un escalier
dans la falaise

– Je me demande où on va trouver un monastère, dit Tom. C'est plutôt sauvage, par ici.

– Là-haut, peut-être ? suggère Léa en montrant des marches étroites creusées dans le roc.

Tom regarde. Le sommet de la falaise est caché par la brume.

– On ferait mieux d'attendre qu'il y ait un peu de soleil, pour y voir plus clair. Cet escalier a l'air drôlement glissant.

– On va monter lentement, décide Léa.

Elle gravit les premières marches et pousse une exclamation :

– Ouille ! Je me suis pris les pieds dans ma robe !

– Je t'ai dit d'attendre ! rouspète son frère. Tu vois bien que c'est dangereux !

★ ★ ★ ★ ★ ★ ★ ★ ★ ★

Au même moment, quelque chose lui tombe sur la tête.

– Hé ! Qu'est-ce que c'est que ça ?

C'est une corde, une corde épaisse qui se balance le long de l'étroit passage.

– Je parie que quelqu'un est là-haut pour nous aider ! déclare Léa.

– Oui, mais qui ?

– Montons, on verra bien !

Elle attrape la corde et commence à escalader les marches. En un rien de temps, elle disparaît dans le brouillard.

– Léa ! appelle Tom. Attends-moi !

Mais le bruit des vagues couvre sa voix. Alors, il saisit la corde et grimpe à son tour.

Quand il émerge au sommet de la falaise, une main puissante le prend par le bras et le hisse à côté de sa sœur.

– Tiens, tiens ! s'exclame une voix joyeuse. Voilà un deuxième jeune envahisseur !

★ ★ ★ ★ ★ ★ ★ ★ ★ ★

Qui les attend
en haut de la falaise ?
Un ennemi ?

Trouveront-ils
le troisième livre à sauver
pour la bibliothèque de la fée Morgane ?

Si tu as envie de nous donner
tes impressions sur la série
ou nous parler de **tes propres voyages,**
réels ou imaginaires,
n'hésite pas à nous écrire !

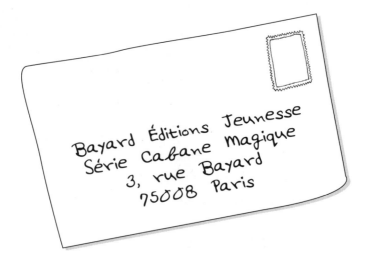

Bayard Éditions Jeunesse
Série Cabane magique
3, rue Bayard
75008 Paris

N'oublie pas d'écrire
ton nom et ton adresse sur la lettre !